¡Hola! Soy el conductor
del autobús. Escucha,
tengo que marcharme
un momento. ¿Me puedes
vigilar el autobús
hasta que yo vuelva?
Gracias. Ah, y recuerda:

¡No dejes que la paloma conduzca el autobús!

Texto e ilustraciones de Mo Willems

entrelibros

Primera edición en rústica: septiembre 2006

ISBN:84-96517-23-3
Printed in Spain - Impreso en España.
Impreso en Limpergraf, S.L.
Depósito legal: B-41263-2006

Para Cheryl

Pensaba que nunca
se marcharía.

Hola, ¿puedo conducir el autobús?

Por favor...

Tendré cuidado.

Sólo voy a mover el volante. Te lo prometo.

¡Mi primo Alberto
conduce un autobús
todos los días!

De verdad.

¡VROOM-VROOM
VROOMY
VROOM-VROOM!

¡PALOMA AL
VOLANTE!

¿No?

¡Nunca puedo hacer lo que quiero!

Eh, tengo una idea.
¡Vamos a jugar a
"conducir el autobús"!

¡Yo primero!

¡Vamos! ¡Sólo una vuelta a la manzana!

¡Seré tu mejor amiga!

¿Qué te parece si te doy cinco monedas?

¡No es justo!

Seguro que tu mamá me dejaría.

¡¡¡Es sólo un autobús!!!

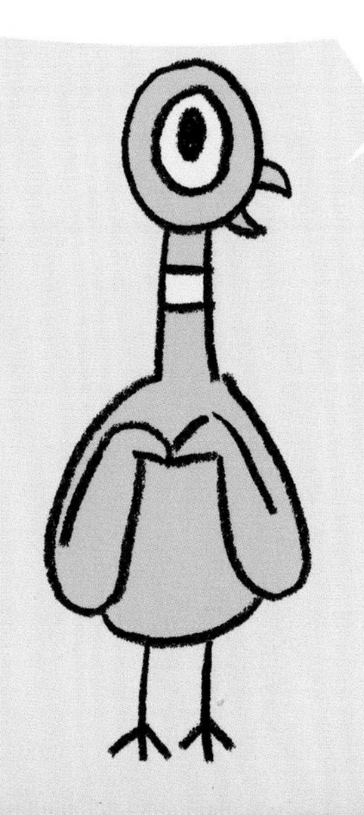

¡¡¡DÉJAME
EL

CONDUCIR
AUTOBÚS!!!

¡Ya he vuelto!
No habrás dejado
a la paloma conducir
el autobús, ¿verdad?

¡Muy bien!
Muchas
gracias.

Uh - oh!

¡Adiós!

Eh...